ある日(ひ)、
おかあさんぶたが
こぶたたちに
いいました。
「おまえたちも　おおきくなって、
もう　いちにんまえね。みんな、
ひとりひとり、じぶんの　おうちを　たてて
くらしなさい。」
こぶたたちは、びっくりしました。でも、
おかあさんの　いいつけですから、しかた
ありません。

こぶたたちは、
いえを　どこに
たてるか、そうだん
しました。

一ばんめの　こぶたは　いいました。
「ぼくは、山の　ふもとに　するよ。」
二ばんめの　こぶたも　いいました。
「りんごの木が　あるから、ぼくは　山の
まんなかに　するんだ。」
三ばんめの　こぶたは、こう　いいました。
「ぼくは、山の　てっぺんさ。」

一ばんめの
こぶたは、わらを
いっぱい　あつめて
きました。
「おうちを　つくるには、わらが
一ばん。かるくて　かんたん、
すぐ　できる。」
一ばんめの　こぶたは、あっと
いうまに、わらの　うちを　たてて
しまいました。
「わーい、ぼくが　一ばんだ。」

一ばんめの　こぶたは、
さっそく　わらの　うちに
はいって、おべんとうを
たべました。そして
そのうちに、ぐうぐう　いびきを
かいて、ひるねを　はじめました。
そこへ、二ばんめと　三ばんめの
こぶたが　やってきました。
「やっぱり、おにいちゃんは　はやいねえ。」
「でも、わらの　おうちは、すぐ
こわれちゃいそう。」

二ばんめの　こぶたは
かんがえました。
「ぼくは、もっと
じょうぶな　おうちに　したいな。
そうだ！　木の　おうちを　つくろう。」
そうして、いっぱい　たきぎを
あつめてくると、とんたん　とんたん
くぎを　うちました。
「ほうら、できた！
木の　おうちが、やっぱり　一ばん。
じょうぶで、こんなに　りっぱだよ。」

「いっしょう
けんめい
はたらいたら、
おなかが　ぺこぺこに
なっちゃった。」
　そういうと、二ばんめの　こぶたは、
あっと　いうまに　おべんとうを
たいらげました。
　さあ、まだ　うちが　できていないのは、
三ばんめの　こぶただけに　なってしまい
ました。

「おにいちゃんたちは、ずいぶんはやかったなあ。」

三ばんめの　こぶたは、しばらく　かんがえこんでいました。

「ようし。ぼくは、一ばん　じょうぶなレンガで　おうちを　つくろう。かぜがふいても、あらしが　きても、レンガのおうちなら、だいじょうぶだもん。」

そういうと、おもたい　レンガをはこびはじめました。

「よいしょ、 よいしょ。
レンガは おもいな。」
あせを ながして
レンガを はこびあげると、
こんどは ひとつひとつ つみあげて
いきます。
そこへ、 おにいさんの ぶたたちが、
ようすを みに やってきました。
「まだ できないの。 もうすぐ 日が
くれちゃうよ。」
「ずいぶん のろまだなあ。」

そのうち　よるに
なり、おにいさんの
ぶたたちは、あきれて
じぶんの　うちへ　かえっていきました。
よる　おそくなって、やっと　レンガ（れんが）の
うちが　できあがりました。
「わーい、できたぞ！」
三（さん）ばんめの　こぶたが　よろこんでいると、
「ウオ（うお）ーーーン（ん）。」と、おおかみの　とおぼえが
きこえてきました。おおかみは、こぶた
たちの　ようすを　みていたのです。

つぎの日、　おおかみは
わらの　うちに　やって
きました。
「ドアを　あけろっ！」
「いやだよっ！」
一ばんめの　こぶたは、　ひっしに
なって、　ドアを　おさえました。
「それなら、　こんな　うち、　ふきとばして
やる。」
おおかみは、　わらの　うちに
フウーッと　いきを　ふきかけました。

わらの　うちは、
ばらばらに　ふき
とばされて　しまいました。
「ブヒーッ。たすけてー！」
一ばんめの　こぶたは、ひっしに
なって　にげだしました。
「ウオーッ。まてーっ！」
一ばんめの　こぶたは、やっとの　ことで
二ばんめの　こぶたの　木の　うちに
にげこむと、バタン！　と　ドアを
しめました。

「ドアを　あけろっ！」

「いやだよっ！」

　こぶたたちは、
だきあって　ぶるぶる
ふるえて　いました。

　すると　おおかみは、

「それなら、　こんな　うち、　ぶちこわして
やる。」

　こう　いうと、　木の　うちに　たいあたり
してきました。

ドッカーン！

木の　うちは、
ばらばらに　こわされて
しまいました。
「ブヒーッ。　たすけてー！」
　こぶたたちは、　ひっしに　なって
にげだしました。
「ウォーッ。　まてーっ！」
　一ばんめと　二ばんめの　こぶたは、
やっとの　ことで、　三ばんめの　こぶたの
レンガの　うちに　にげこむことが
できました。

「ドアを　あけろっ！」
「いやだよっ！」
おにいさんの　ぶた
たちは、ぶるぶる
ふるえました。
「それなら、こんな　うち、ふきとばして
やる。」
おおかみは、おおきく　いきを　すうと、
レンガの　うちに、フウーッと、いきを
ふきかけました。でも、レンガの　うちは、
びくとも　しません。

三(さん)ばんめの　こぶたは
おちついていました。
「レンガ(れんが)の　おうちは
じょうぶだから、しんぱい　いらないよ。」
ところが　おおかみは、
「それなら　こんな　うち、ぶちこわして
やる。」
と、いきおいよく　たいあたり。
ドシーン(どしーん)！
「ギヤオーン(ぎゃおーん)！　いてててっ。」
おおかみは、けがを　してしまいました。

こぶたたちが
ほっと　していると、
こんどは　おおかみが、
ハンマーを　もって　もどってきました。
「こんどこそ、こんな　うち、こわして
やるぞ。」
と、ハンマーを　ふりおろしましたが……。
ガツーン！　ポキッ！
「ギヤオーン！　いててててっ。」
ハンマーが　おれて、おおかみに　あたり、
あたまに　こぶが　できてしまいました。

おおかみは
あきらめて、とぼとぼ
かえっていきました。
「ばんざーい！」
こぶたたちは、おおよろこび。
「あんしんしたら、おなかが　すいたね。
りんごを　とりに　いこう。」
と、そとに　とびだしていきました。
ところが　おおかみは、こっそり
かくれて、こぶたたちの　あとを
つけていたのです。

「ウォーッ。　こんど
こそ　たべてやるぞ。」
「うわあ、　にげろ！」
　こぶたたちは、　おお
あわてで　りんごの木に　よじのぼりました。
　木のぼりが　できない　おおかみは、
こぶたたちが　おりてくるのを　まつしか
ありません。　そのうちに、　ますます
おなかが　すいてきました。　すると、
三ばんめの　こぶたが　いいました。
「おおかみさん、　りんごを　あげようか。」

「ウォーッ、それは
ありがたい。」
　おおかみは、りんご
を　うけとろうと、まちかまえました。
「ほーら、あげるよ！」
　三ばんめの　こぶたは、わざと　とおくに
ほうりなげました。りんごは、ころころ
さかを　ころげおちていきます。
　おおかみが、りんごを　おいかけている
あいだに、こぶたたちは　レンガの　うちに
にげかえりました。

さて、
かんかんに
おこった　おおかみは、
「そうだ。こんどは、
えんとつから　なかに　はいってやろう！」
と、レンガの　うちに　はしごを　かけました。それを　みて、おにいさんの　ぶたたちは　まっさおに　なりました。でも、三ばんめの　こぶたは　おちついています。
「だいじょうぶだよ。おなべに　いっぱいおゆを　わかすから、てつだって！」

　えんとつを
おりてきた
おおかみは、　ぐらぐら
にたった　おゆの　なかへ
ドボーン！
「ギャオーン！　あついよぉ！」
　おしりを　やけどした　おおかみは、
もう　二(に)どと　こぶたたちの　いえに
ちかよらなかったそうです。
　それから、三(さん)びきの　こぶたたちは、
なかよく　しあわせに　くらしました。

かいせつ

この「三びきのこぶた」は、イギリスの民話を集めた『イギリスの昔話』の中の一編です。編者ジェイコブズは、イギリス各地を歩いて、子どもたちの教育にふさわしい説話を中心に民話を集録したそうです。

このお話も、「努力を惜しまず、こつこつ働く者は必ず幸福になる」というたとえ話で、ヨーロッパの農民の、力強い生き方を教えようとした作品なのです。

〔筆者・画家紹介〕

平田昭吾

1939年満州（現在の中華人民共和国の東北地区）で生まれる。

終戦前に帰国し、福島県立会津工業高校機械科を卒業。のち上京して手塚治虫氏に師事、アシスタントとして活躍した。

1962年日活撮影所に入社、研究室に勤務。

1968年、日活を退社して手塚プロダクションのマネージャーとなる。1971年、アニメ絵本「アンデルセンどうわ」（全10巻ポプラ社）をプロデュースして独立。以後今日まで、日本のアニメ絵本文化の先がけとなって大活躍。現在、200冊に及ぶロングセラーを持っている。

成田マキホ

1945年青森県に生まれる。

県立三戸高校を卒業。

1963年上京。虫プロダクションに入社。手塚治虫氏に師事し、漫画家の生活に入る。

1971年独立。フリーとして幼年誌を中心に漫画やアニメ作品を発表しつづけて現在にいたる。この間代表作となった「ドン・チャック物語」を発表、テレビ作品ともなって全国的に放映された。